VITA DA APE

Kirsten Hall   Isabelle Arsenault

TERRE DI MEZZO EDITORE

Un prato.
Un albero.
Arrampicati e guarda...

Intorno a te, a perdita d'occhio
liberi e selvaggi crescono

Lo senti?

È vicino.

Sta arrivando,
è un fruscìo,
un ronzio
è...

Quattro piccole ali
fremono e sbattono
frullano e vibrano;
l'ape indaffarata vola tutt'intorno.

BZZZ

BZZZ

BZZZ

FRRR

FRRR

FRRR

Cerca,
si posa...

È un fiore ricco di polline,
dai colori sgargianti.
Col suo dolce profumo chiama l'ape a sé.

Che lungo viaggio...
è ora di dissetarsi!
È DOLCE,
ACQUOSO,
è...

NETTARE.

L'ape si tuffa,
succhia e beve,

si abbuffa, si sazia,
e poi si riposa.

Prepara il suo carico,

riprende il volo...

Polline
e nettare:
che pranzetto
da re!
BZZZ BZZZ!

BZZZ, BZZZ, quante api!
Volano, sciamano, ronzano forte.

Battono le ali,
si posano,
cercano.

NETTARE NETTARE
TUTTO PER NOI!

Lavorano tra i fiori
per ore e ore.
Finché...

con sacche pesanti,
le piccole api

partono,
si spostano,
ritornano.

ZOOM, corrono!
ZOOM, sfrecciano!
ZOOM, accelerano
e poi...

ZOOOOOOOOOOM!

Lo vedono laggiù...

IL NOSTRO ALVEARE!

IL NOSTRO ALVEARE!

LA NOSTRA CASA!

Eccole che entrano
nel loro nido
ronzante di vita...

BZZZZ!

La danza comincia.
L'ape ondeggia e gira.

La danza è bella.
L'ape vibra e dondola.

La danza continua seguendo una linea
a forma di otto: questo è il segnale.

OH! ADESSO SAPPIAMO
DOVE ANDARE!
GRAZIE PER AVERCI RIVELATO
QUESTO SEGRETO
(E GRAZIE PER LO SPETTACOLO!)

Nuove bottinatrici

partono in missione...

mentre le api magazzinicre
si mettono al lavoro.

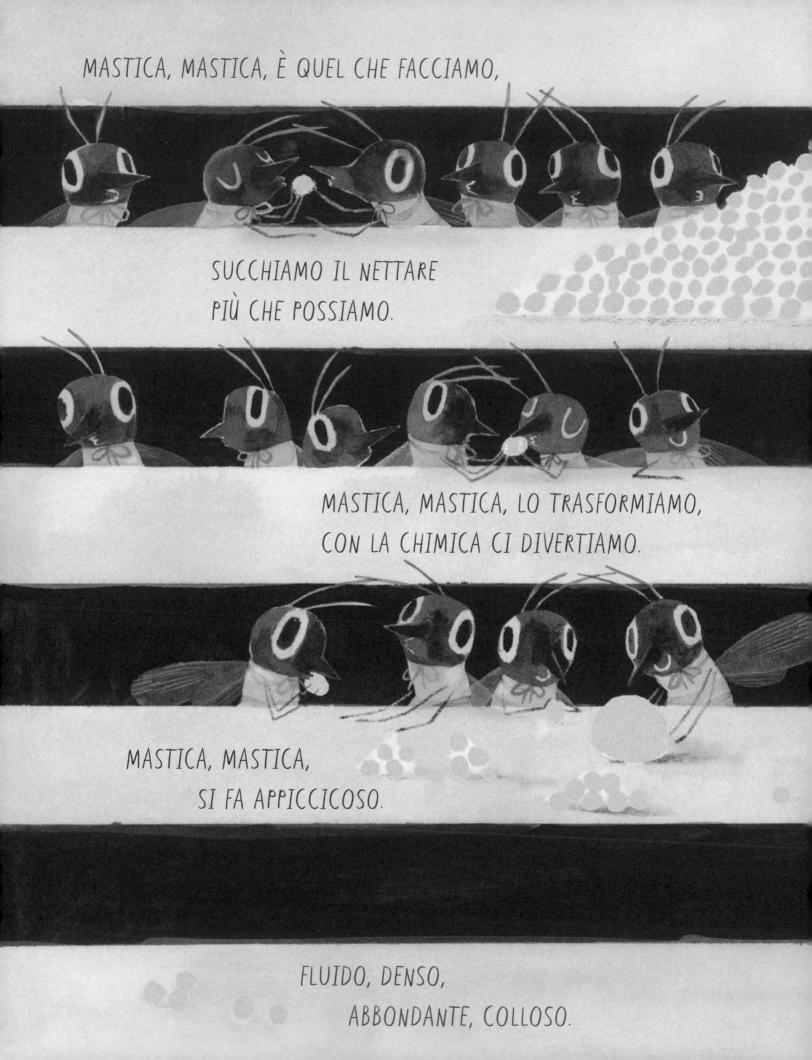

MASTICA, MASTICA, È QUEL CHE FACCIAMO,

SUCCHIAMO IL NETTARE
PIÙ CHE POSSIAMO.

MASTICA, MASTICA, LO TRASFORMIAMO,
CON LA CHIMICA CI DIVERTIAMO.

MASTICA, MASTICA,
SI FA APPICCICOSO.

FLUIDO, DENSO,
ABBONDANTE, COLLOSO.

MASTICA, MASTICA,
CI SIAMO QUASI!

Ma non abbiamo ancora finito...

Ora le api
riempiono i favi!
Mettono l'impasto
dentro alle celle,
poi battono le ali
sempre più forte...

WHOOSH!
Sono piccole
ma potenti.

SSSSHHHH!
Il nettare si raffredda
e si asciuga,

diventa più denso,
le ali frullano ancora più in fretta...

FORZA!

ARIA!

PRESTO!

CE L'ABBIAMO
FATTA!

ECCO IL
MIELE
FINALMENTE!

E ora,
per tenerlo
al sicuro...

chiudono le cellette
con tappi di cera.

Il liquido d'oro
è ben sigillato.

Apriranno i forzieri
solo in caso
di bisogno,
solo quando
avranno fame.

Fuori le giornate si accorciano.
Venti più freddi e raggi più tiepidi,
meno uova da curare e da far crescere...

E se la regina depone meno uova,
tutto l'alveare è più tranquillo,
le api si radunano, vicine vicine,
per tenersi al caldo.

PUF!
Un bocciolo.

SPLASH!
Un po'
di fango.

La neve si scioglie, gli animali si svegliano,
e dentro al nido le api se ne accorgono.

EHI!
È primavera!
Torna la vita!

La piccola ape
sa cosa fare.

ZOOOOOOOOOM!

Un prato.
Un albero.
Arrampicati e guarda...

Da un alveare lontano lontano
ecco che arriva la dolce e laboriosa...

APE!

Caro lettore,

ho scritto questa storia per un motivo importante. L'ape mellifera è una delle creature più straordinarie del nostro pianeta, e purtroppo è in pericolo. Spero che questo libro possa far nascere in te l'amore per le api, e che anche tu prenda a cuore il loro futuro.

LE API SONO BELLE

Sono proprio come noi! Vivono in famiglie (chiamate anche colonie) e hanno delle case (chiamate alveari). Lavorano sodo. Ognuna porta sulla propria piccola schiena una grande responsabilità verso la collettività. Le api ronzano, sfrecciano, bevono, danzano, e fanno il nido. E anche se non dobbiamo avvicinarci troppo - possono pungere! - è importante conoscere "da vicino" tutte le cose meravigliose che fanno.

COME SAREBBE IL MONDO SENZA API?

Senza api saremmo nei guai! Perché? Le api volano da una pianta all'altra, in cerca di nettare. Mentre viaggiano, trasportano e diffondono il polline, che feconda le piante e fa sì che esse producano nuovi semi. E i semi danno vita a nuove piante, che a noi servono moltissimo, sia per il cibo, sia per produrre altri materiali, come per esempio i tessuti e la legna.

COSA PUOI FARE PER LE API?

Ecco cinque semplici modi per aiutarle:

1 COLTIVA FIORI E PIANTE OVUNQUE SIA POSSIBILE

E cerca di piantarne molte dello stesso tipo, vicine tra loro (alle api piace!). Alcune delle piante preferite dalle api sono lavanda, lillà, menta, papavero, rosmarino, salvia, zucca, zucchina, girasole, pomodoro. Evita di usare prodotti chimici e pesticidi: sono pericolosi per le api e sono la causa della loro diminuzione.

2 LASCIA IN VITA LE ERBACCE E LE PIANTE SELVATICHE!

Di solito ci vogliamo liberare delle erbacce, alcuni pensano che lasciarle crescere equivalga a trascurare il giardino o l'orto. Ma le erbacce sono preziose per le api: i fiori selvatici sono una delle fonti di cibo più importanti per loro.

3 COMPRA IL MIELE, MEGLIO SE DA UN APICOLTORE DELLA TUA ZONA

Quasi sempre nei mercatini agricoli e nei negozi che vendono prodotti locali, troverai anche il miele. E il miele è pieno di sostanze nutrienti! Usalo per preparare i dolci e per zuccherare il tè, mangiane un cucchiaino ogni tanto! (Però senza esagerare: è delizioso, ma contiene moltissimo zucchero.) Sostenendo gli apicoltori, aiuti anche le api.

4 NON AVERE PAURA DELLE API

Alle api interessano il nettare e il polline, non vogliono pungerti o farti del male. Quando un'ape ti vola vicino, stai fermo e non agitarti. Le api infatti "sentono" la paura. Se stai fermo e tranquillo, probabilmente l'ape deciderà presto di andarsene. Evita anche di avvicinarti agli alveari: le api sono territoriali, ma finché non andrai a dar loro fastidio, loro non daranno fastidio a te.

5 DI' AI POLITICI CHE AMI LE API!

Le persone che fanno le leggi dovrebbero impegnarsi di più per proteggere le api. Se le nostre leggi non difendono l'ambiente, le api saranno sempre in pericolo. Scrivi una lettera alla tua amministrazione locale. Di' che ami le api e spiega perché sono così importanti. Fa' dei disegni, usa la tua voce. Se siamo in tanti, forse possiamo salvare il futuro delle api.

Grazie dell'attenzione. E sii orgoglioso di te stesso: adesso sai molte cose sulle api, e la conoscenza è potere. Ora possiamo difendere le api insieme!

Con affetto,
Kirsten

Questo libro è per tutti coloro che amano e hanno a cuore
le meravigliose creature in via di estinzione del nostro pianeta.

Un ringraziamento speciale ad Ann Bobco e Emma Ledbetter

K. H. e I. A.

Titolo originale: The Honeybee

Testo © Kirsten Hall 2018
Illustrazioni © Isabelle Arsenault 2018

La font utilizzata per questo libro si chiama "Honeybee" ed è stata disegnata da Isabelle Arsenault

Pubblicato in accordo con Atheneum Books For Young Readers
un marchio di Simon & Schuster Children's Publishing Division
1230 Avenue of the Americas, New York, NY 10020

© 2019 Cart'Armata edizioni Srl
Terre di mezzo Editore
via Calatafimi 10, 20122 Milano
Tel. 02-83.24.24.26
e-mail editore@terre.it
terre.it   acchiappastorie.it

Direzione editoriale: Miriam Giovanzana
Coordinamento editoriale: Davide Musso
Traduzione: Giulia Genovesi

Prima edizione italiana: febbraio 2019
Prima ristampa: luglio 2020
Seconda ristampa: giugno 2021

Stampato da Lego Spa, Vicenza